KU-470-544

I CAPOLAVORI DISNEY

Bambi

The Walt Disney Company Italia S.p.A.
• L I B R I •

L'alba sorge nella foresta.
Mentre il vecchio Amico
Gufo rientra nella sua tana
per farsi un pisolino,
gli animali si risvegliano
contenti, pronti a salutare una
nuova giornata di primavera.

Ma ora perché corrono tutti
così in fretta? Dove stanno
andando? È Tippete,
il coniglietto, a informare
il gufo pigrone: proprio oggi
è nato il nuovo principino!

Il sole illumina la radura dove mamma cerva coccola il suo cerbiattino appena nato. “Questo è un grande avvenimento!” dice Amico Gufo. “Congratulazioni!” esclamano in coro gli abitanti del bosco. “Benvenuto, principino!”

Ora il cerbiatto deve imparare a stare in piedi. Ma non è facile per chi è nato da poco tempo: le sue zampe sono così rigide! Mentre Tippete lo guarda divertito, il piccolo fa qualche passo incerto, e cade addosso alla sua mamma... "Credo che lo chiamerò Bambi!" dice lei rivolta al coniglietto.

Sono passati alcuni giorni.
Bambi è cresciuto e segue
la mamma nel bosco. Qui fa
la conoscenza di alcuni animali.
"Buongiorno, principino!"
lo salutano gli opossum.
Certo che sono proprio buffi,
appesi al ramo a testa in giù!

In ogni angolo del bosco c'è
qualcosa di nuovo. "Salute!
Bella giornata, eh?" dice a Bambi
una piccola talpa, sbucando dalla tana.
Il cerbiatto rimane a bocca aperta:
non ha mai visto un animale
che vive sottoterra. È così sorpreso
che cerca di seguirla,
ma inciampa in una pianta.

Il cerbiatto deve ancora imparare
a stare in piedi senza cadere.
"Alzati, Bambi, prova ancora!"
lo incoraggiano la mamma
e i suoi amici coniglietti.
Poco alla volta, il cucciolo
diventa più sicuro.

A spasso per il bosco, Tippete insegna
a Bambi i nomi degli animali
che incontrano. “Sono uccellini!”
spiega il coniglio, indicando in alto.
“Ini? Cini?” ripete il cerbiatto.
Che parola difficile!

Bambi impara alla svelta, ma fa ancora un po' di confusione. Ecco una farfalla che si posa sulla sua coda. "Uccellini!" esclama il cucciolo. Tippete ride: "No, non è un uccellino. Non vedi? Quella è una farfalla!"

Quante cose da scoprire,
e ognuna ha il suo nome!
Come si chiama quell'animale
che spunta dall'erba? È in un
prato, quindi... "Fiore!" dice
Bambi. Tippete ride divertito:
"No, quello non è un fiore,
ma una piccola puzzola!"

“Non fa niente,” sussurra timidamente
la piccola puzzola. “Può chiamarmi
Fiorellino, se gli fa piacere.” È proprio
un animaletto simpatico e gentile.
Che fortuna vivere in un bosco
così bello e avere tanti amici!

Nel bosco, però, a volte scoppiano i temporali. Quando accade, la cosa migliore è rifugiarsi dalla mamma. Bambi chiude gli occhi e cerca di dormire in attesa del sole, ma le gocce di pioggia sulle foglie lo tengono sveglio. E i tuoni gli fanno tanta paura! Presto comunque torna il sereno.

Un giorno mamma cerva decide che è
il momento di condurre Bambi nella
prateria. "Cos'è la prateria?" chiede
il cerbiatto incuriosito. "Un posto
molto bello," risponde la mamma.

Il cerbiatto rimane a bocca aperta:
la prateria è davvero meravigliosa!
Bisogna essere prudenti, però, non
ci sono alberi dietro cui nascondersi.
La mamma va avanti per prima
e si guarda intorno. Bene, nessun
pericolo in vista! Ora Bambi
può correre tranquillo.

Saltellando tra i cespugli, il cerbiatto
incontra Tippete, che lo invita
ad assaggiare i fiori di trifoglio. Bambi
segue i consigli del coniglietto
e infila il muso tra le foglie,
arrivando, così, vicino allo stagno.

All'improvviso, un ranocchio salta fuori dall'acqua. "Vattene!" grida al cerbiatto allontanandosi.

Bambi vede il ranocchio tuffarsi nello stagno. Incuriosito, avvicina il muso all'acqua, così limpida che sembra quasi uno specchio. Strano: si vedono addirittura due cerbiatti!

Che sorpresa, c'è proprio un altro
cerbiatto! Anzi, una graziosa
cerbiattina. Bambi è timido
e corre a rifugiarsi tra le zampe
della mamma. "Questa è
Occhidolci," lo incoraggia lei.
"Non hai paura, vero? Su, saluta!"

Occhidolci è molto felice di conoscere Bambi. Non c'è niente di meglio di una bella leccatina per diventare amici! Per la verità, Bambi non è molto convinto. Presto, però, i due cerbiatti cominciano a giocare insieme.

A un tratto si sente un rumore. Bambi
e Occhidolci vedono un branco
di cervi che arrivano al galoppo.
Si fermano solo per lasciar passare
un cervo grande e forte:
è il Principe della Foresta!

E ora, che succede? Stanno arrivando i cacciatori! I cervi fuggono da ogni parte. Bambi, disorientato e spaventato, è rimasto solo nella prateria deserta. Per fortuna il Principe della Foresta torna ad aiutarlo. Poco dopo arriva anche la mamma di Bambi e tutti insieme si mettono in salvo.

Passa il tempo e le stagioni cambiano. Un giorno, il cerbiatto scopre che tutto è ricoperto da un manto di polvere candida, morbida e fredda. “Mamma, guarda! Cos’è questa roba bianca?” chiede stupito. “Bambi, è neve. È arrivato l’inverno,” risponde mamma cerva.

L'inverno è così freddo che lo stagno si è ghiacciato. "Guarda quanto sono bravo!" dice Tippete pattinando sul ghiaccio. "Coraggio, vieni anche tu!" Bambi si accorge subito che non è facile come sembra. Sul ghiaccio gli zoccoli scivolano e deve fare attenzione a non picchiare il naso!

Tippete cerca in ogni modo
di insegnare a Bambi
a pattinare. Il cerbiatto
alla fine ci riesce, anche
se poi fa una bella scivolata.
Ma come fare a fermarsi?

I due amici si ritrovano davanti alla tana di Fiorellino. A lui il freddo e la neve non piacciono e preferisce dormire.
"È già primavera?" chiede.
"No, l'inverno è appena cominciato," risponde Bambi, "perciò, buona notte!"

Oh, sì, l'inverno è bello, ma ha
i suoi lati spiacevoli. È così difficile
trovare da mangiare! Quando
tornerà la primavera? "Io ho tanta
fame, mamma," sospira Bambi
con una vocina triste.

Un giorno alcuni ciuffi di tenera erba fanno capolino tra la neve. Evviva, finalmente si può mangiare qualcosa di buono! D'un tratto, allarmata, la mamma alza la testa: ha fiutato un pericolo. "Bambi, svelto, torniamo al bosco!"

All'improvviso si sente uno sparo.
Bambi corre più veloce che può.
Il suo cuore batte forte. "Più svelto!"
grida mamma cerva. Devono raggiungere
il bosco: lì saranno al sicuro. Dietro
di loro risuona un secondo sparo.

Ora Bambi è in salvo, ma la cerva è scomparsa. Il bosco è buio e freddo. “Mamma, mamma, dove sei?” Nessuno risponde: si sente solo il fischio del vento e intanto la neve scende fitta.

A un tratto, ecco apparire il Principe della Foresta. “La tua mamma non tornerà mai più,” dice il cervo, mentre le lacrime cominciano a scorrere dagli occhi di Bambi. “Devi imparare a vivere solo. Vieni, figlio mio.” Ma allora è lui il padre di Bambi, il Principe della Foresta!

Finalmente dopo il freddo inverno
torna la primavera. Fiori colorati
che sbocciano, uccelli che cinguettano:
sembra quasi una festa! Anche Fiorellino
si è risvegliato dopo un lungo sonno.

Bambi è diventato un giovane cervo, e anche Tippete e Fiorellino sono cresciuti. Amico Gufo li mette in guardia. Sa che la primavera può fare qualche scherzo. "Quasi tutti si comportano in modo strano in primavera," dice. "Può accadere a chiunque; farete bene a stare attenti!"

"No, io non ci casco di certo!" "Neanch'io."
"E neanch'io!" esclamano Tippete, Bambi
e Fiorellino. Ma a Fiorellino capita subito
una cosa ben strana: incontra una graziosa
puzzola e... si sente così confuso e felice!
Forse è di questo che parlava Amico Gufo...

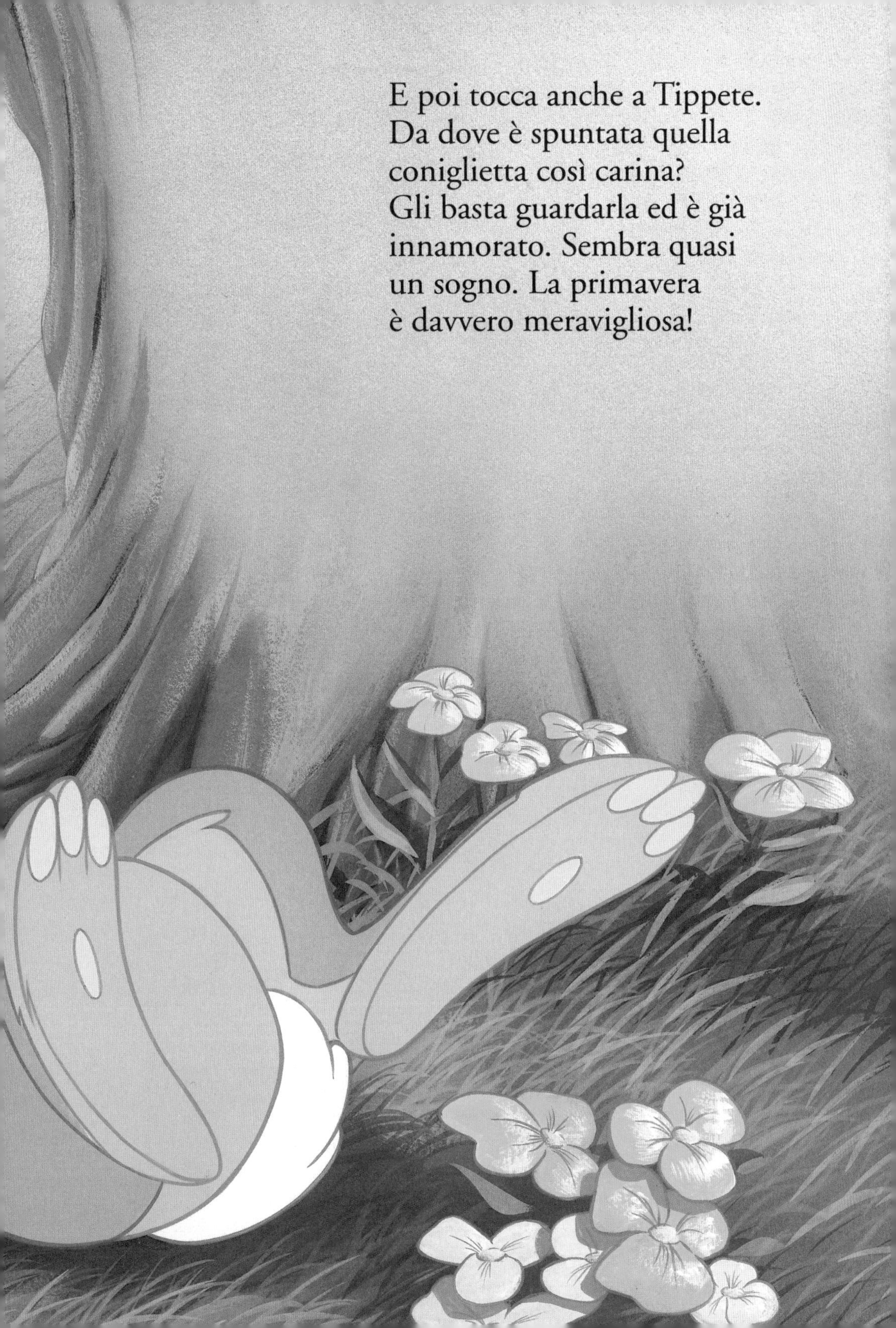

E poi tocca anche a Tippete.
Da dove è spuntata quella
coniglietta così carina?
Gli basta guardarla ed è già
innamorato. Sembra quasi
un sogno. La primavera
è davvero meravigliosa!

Anche Bambi sta per avere una sorpresa.
“Ciao, Bambi!” gli sussurra Occhidolci
quando lo incontra. “Ti ricordi di me?”
Il cervo arretra intimidito e le sue corna
si impigliano in un ramo. Occhidolci
ne approfitta per leccargli il muso
e Bambi è subito conquistato!

Che cosa c'è di più bello che correre
insieme nei prati, guardarsi negli occhi
ed essere felici? A Bambi sembra
di volare con Occhidolci
in un cielo pieno di nuvole colorate.

Purtroppo il sogno viene presto interrotto.
Un altro giovane cervo vuole scacciare
Bambi e conquistare Occhidolci.
C'è solo una cosa da fare: combattere!
I due si affrontano con grandi salti e colpi
di corna. Bambi sconfigge l'avversario
e Occhidolci è felice: ora possono vivere
insieme, in pace e senza pericoli.

Un giorno, però, Bambi vede del fumo in lontananza. “È l’uomo. È qui di nuovo!” gli spiega suo padre. “Sono in molti questa volta.” Non è una buona notizia: gli uomini con i fucili sono pericolosi. È meglio trovare subito rifugio nella foresta, dove gli alberi sono più fitti.

La notizia si sparge subito e appena
si sente il primo sparo gli animali
corrono, spaventatissimi,
da tutte le parti: bisogna
fuggire, nascondersi,
non c'è tempo da perdere.

Il pericolo è molto vicino. Anche
Occhidolci cerca di scappare,
ma i feroci cani dei cacciatori
sono pronti a lanciarsi su di lei.
La cerva si arrampica sulle ripide
rocce. È in trappola! "Bambi!" grida.
I denti aguzzi dei cani la sfiorano,
stanno per raggiungerla.

Per fortuna arriva Bambi,
che con le sue corna riesce
a fermare i cani. Il cervo
combatte coraggiosamente
e Occhidolci può scappare
e mettersi in salvo.

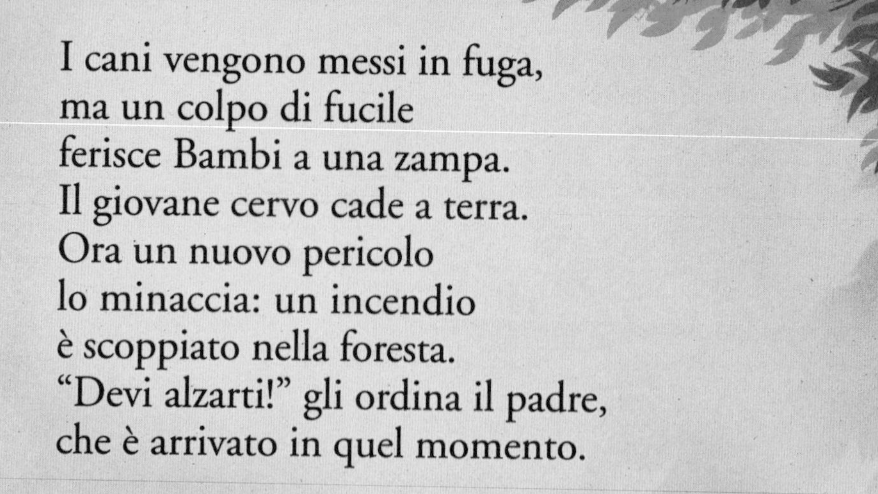

I cani vengono messi in fuga,
ma un colpo di fucile
ferisce Bambi a una zampa.
Il giovane cervo cade a terra.
Ora un nuovo pericolo
lo minaccia: un incendio
è scoppiato nella foresta.
"Devi alzarti!" gli ordina il padre,
che è arrivato in quel momento.

Zoppicando, Bambi segue suo padre. Le fiamme avvolgono la foresta e l'aria è piena di fumo. È difficile respirare, ma i due cervi continuano a correre. Per salvarsi, devono cercare di raggiungere il fiume.

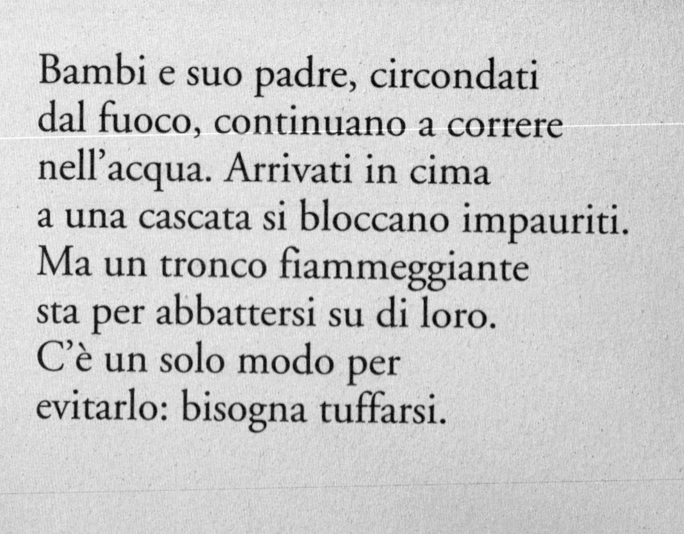

Bambi e suo padre, circondati
dal fuoco, continuano a correre
nell'acqua. Arrivati in cima
a una cascata si bloccano impauriti.
Ma un tronco fiammeggiante
sta per abbattersi su di loro.
C'è un solo modo per
evitarlo: bisogna tuffarsi.

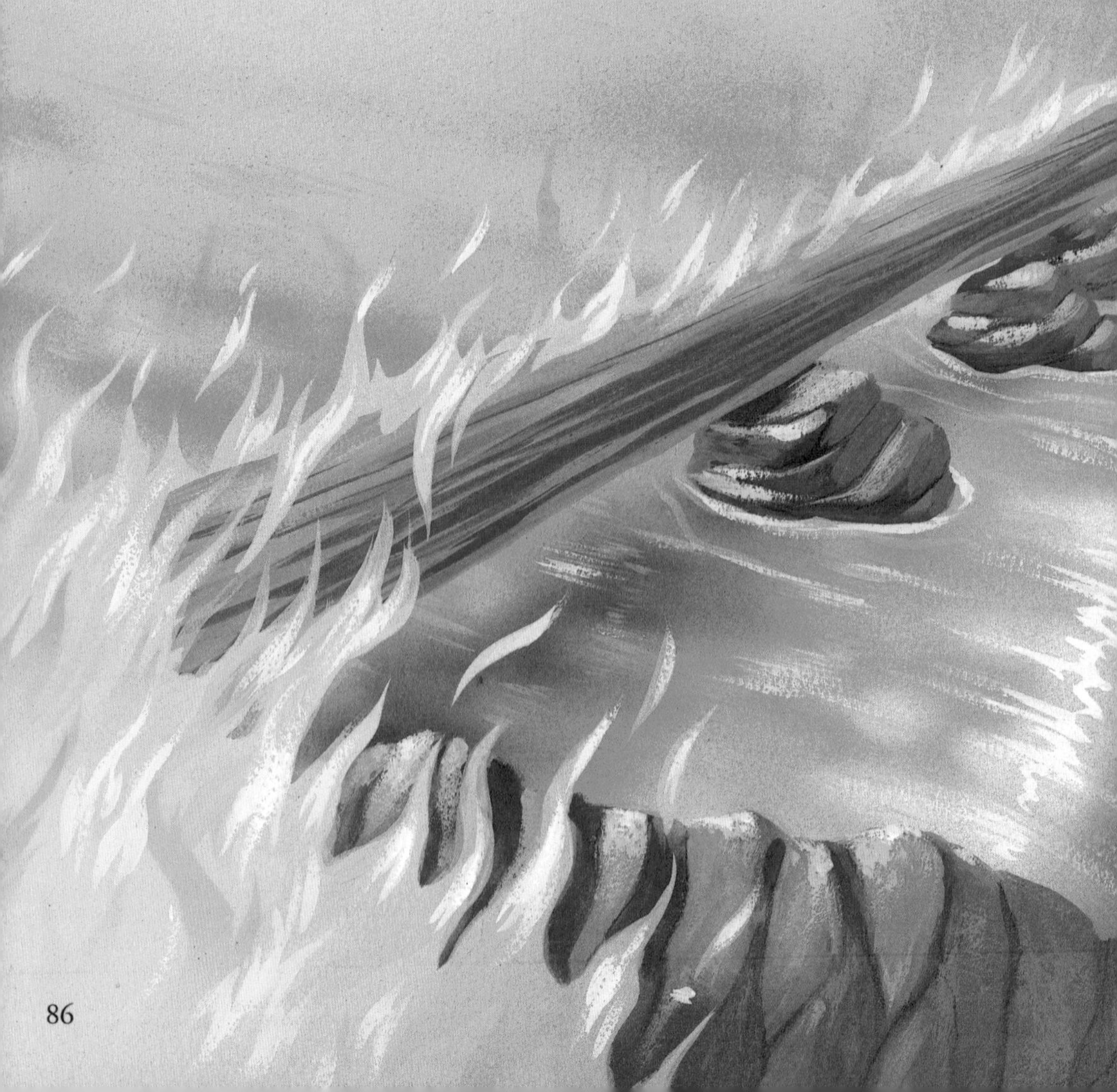

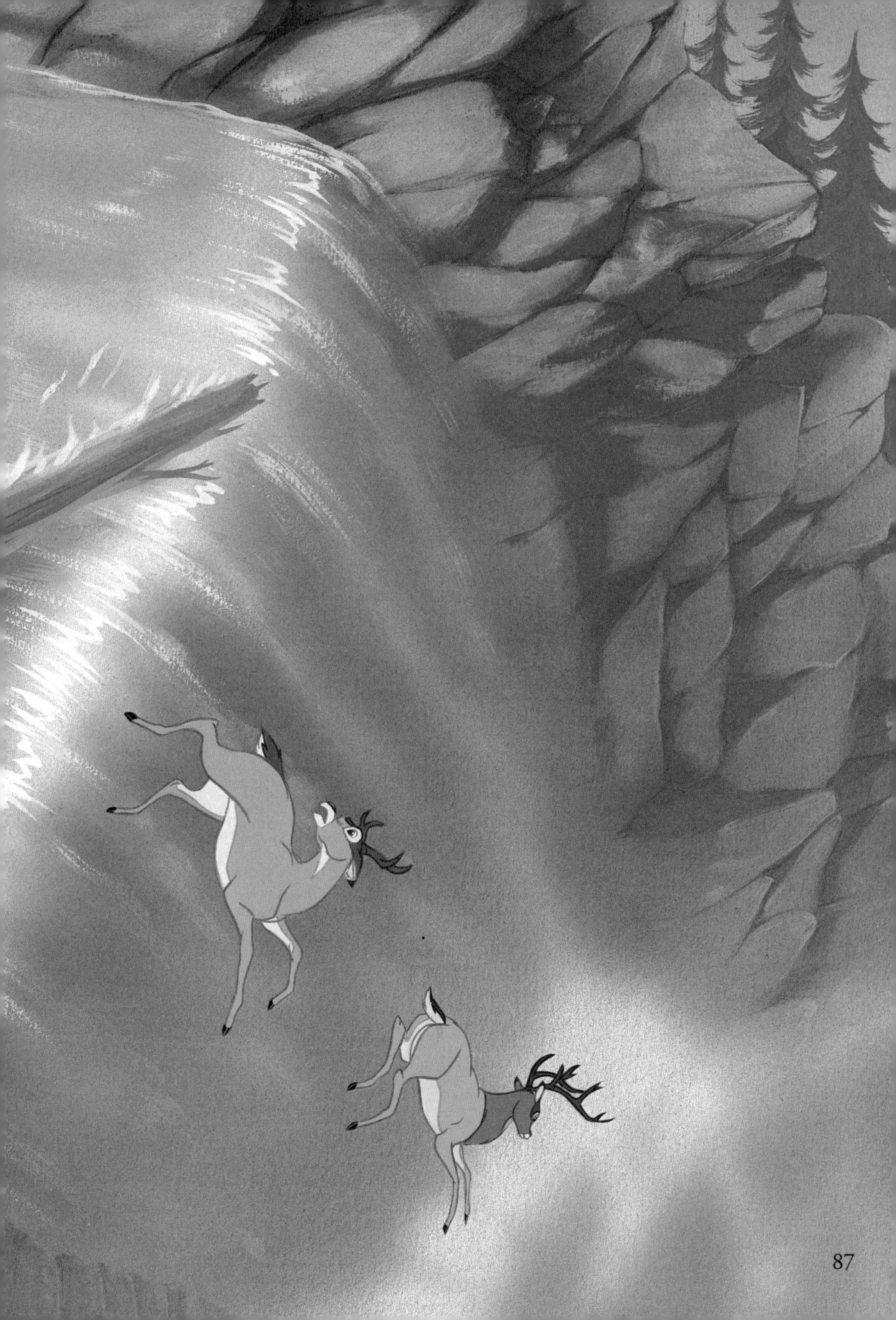

Seguendo il fiume, i due cervi
raggiungono una piccola isola
dove si sono rifugiati anche gli altri
animali. È lì che Bambi ritrova
Occhidolci. Sono di nuovo insieme,
ma che tristezza vedere il fuoco
che distrugge la foresta.

Ma la foresta non muore. È di nuovo primavera: spuntano le foglie e tra gli abitanti del bosco c'è grande agitazione. "Svegliati, Amico Gufo!" gridano Tippete e i coniglietti.
"Cosa c'è? Dove correte tutti così in fretta?" chiede il gufo mezzo addormentato.
"È avvenuto questa notte!" aggiunge Fiorellino.

Ecco che cosa è accaduto! Amico Gufo sorride soddisfatto. Occhidolci è diventata mamma: sono nati due cerbiattini, un maschio e una femmina! Tutti gli animali del bosco sono felici. E Bambi, dov'è Bambi?

Il cervo è in cima alla collina con il padre.
Il grande bosco si stende sotto di loro.
Tutto è tranquillo: Occhidolci
e i due cerbiatti appena nati
non corrono alcun pericolo.
Ora Bambi diventerà il nuovo Principe
della Foresta: ha visto e imparato
tante cose e le insegnerà ai propri figli.

Sono davvero una simpatica famiglia,
e ora che la foresta è tornata a essere
tranquilla, Bambi e Occhidolci potranno
vivere felici per molti, molti anni.
I loro due cerbiattini stanno crescendo
e sono impazienti di correre e giocare
con gli altri animali del bosco.

Testo italiano di Daniele Scaramelli
Editing di Agenzia Servizi Editoriali, Milano
The Walt Disney Company Italia S.p.A., Milano
Stampato da Rotolito Lombarda - Pioltello, Milano